KB142617

서정시학 서정시 139

제왕나비

최동호 시집

서정시학

최동호崔東鎬

1948년 경기도 수원 출생

고려대 국문과, 동대학원 문학박사

경남대와 경희대, 고려대 교수 역임, 현재 고려대 문과대 국문과 명예
교수 겸 경남대 석좌교수

Iowa대학, 와세다 대학, UCLA 등에서 방문, 연구교수로 동서시 비교연구
시집 『황사바람』(1976), 『아침책상』(1988), 『공놀이하는 달마』(2002),
『불꽃 비단벌레』(2009), 『얼음 얼굴』(2011), 『수원 남문 언덕』(2014) 등
이 있다.

서정시학 서정시 139

제왕나비

2019년 4월 05일 초판 1쇄 발행
2019년 12월 16일 초판 2쇄 발행

지 은 이 · 최동호
펴 낸 이 · 최단아
펴 낸 곳 · 도서출판 서정시학
인 쇄 소 · 상지사
주　　소 · 서울시 서초구 서초중앙로18, 504호
　　　　　 (서초동, 쌍용플래티넘)
전　　화 · 02-928-7016
팩　　스 · 02-922-7017
이 메 일 · lyricpoetics@gmail.com
출판등록 · 209-91-66271

ISBN 979-11-88903-22-1　03810

계좌번호: 국민 070101-04-072847　최단아(서정시학)

값　10,000원

　이 도서의 국립중앙도서관 출판예정도서목록(CIP)은 서지정보유
통지원시스템 홈페이지(http://seoji.nl.go.kr)와 국가자료공동목록시
스템(http://www.nl.go.kr/kolisnet)에서 이용하실 수 있습니다.(CIP
제어번호: CIP2019011530)

비바람 헤치고 찾아올 나비를 기다리고

구름 뒤의 달은

나뭇잎에 매달려 쪽잠 자며

고치에서 부활하는 영혼을 지켜보고있다

「제왕 나비」 끝 부분

시인의 말

간결한 시의 여백이 불러일으키는
극서정의 명징성에
도달하는 것이 시적 목표였다.
그러나 시적 소재가 전하는 목소리에 따라
때로는 형식을 확장하기도 했다.

숙고의 과정에서 고견을 주신 분들에게,
아내와 아이들에게
감사의 말을 전한다.

2019년 2월
최동호

차 례

제1부

제2부

제3부

제4부

제왕나비

제1부

소금쟁이 설법

아무리 휘갈겨 쓰고 다녀도

흔적 하나 없다

흰 구름 낙서마저 지우고 가는

소금쟁이

하늘 거울의 왕자

번개를 삼킨 제라늄

먹구름 속에 붉은 꽃봉오릴 터트린
천둥번개의 피는
노을 깊게 물들이는 저 하늘의 계시

번개가 큰 물고기 지느러미를
내리치던 산언덕
꺾인 갈대같이 말 없는 선 피뢰침

휴지조각 바람 타고 나는 좁은 골목길
구멍가게 유리창
다닥다닥 붙은 전단지 빗방울

납작 지붕에 내리친 번개를 삼킨
제라늄 꽃봉오리는
촛불 같이 살다 쫓겨 간 사람들의 시

얼굴 없는 봄 편지

먹장구름 속에서 놀던 번개가
저자 거리에서
뛰어가는 사람을 찾고 있다

쪽박 들고 문전에 서서
동냥하던
어린 시절 거지 아이

연못가에서 보낸
얼굴 없는 봄 편지 하늘가에
울고 있나 보다

먹장구름 뚫고 번개가 지금
급히 전보 쳐서
길 잃은 아이를 찾고 있다

백납 얼굴

창백한 백납 얼굴로
뼈 마른 폐허의 가슴을 토하고
미친놈 소리
한 번도
들어보지 못한 사람은
진짜 시인 아니다

조약돌

멀리 떠나가는 그에게 준
선물은

가을 산사의 단풍 든
풍경 소리

젊은 그가 나에게 남긴
편지는

조약돌에 새겨진 밤 물결
속삭임

정강이 참선

쓴맛 단맛 다 늘어진
늦여름

얼음냉수 물맛 들인
여름 석 달

놋쇠 대야에 출렁이는
달무리

정강이 소름 돋는 늦여름
징소리

소낙비

허공의 등짝은 누가
때리고 가나

죽비에 멍든 살 까맣게
멍들어가도

하늘 한번 쳐다볼
겨를도 없이

꼬리 잘려 뒤뚱거리는
올챙이 인간

木魚가 난다
– 부석사 안양루에서

아지랑이 살랑거리는

봄날 午後

동자승 둥근 머리

파릇한 後光

낭떠러지 소소리바람 실린

야생의 香氣

雲板 소리

구름 타고 木魚가 난다

촛불을 붙잡은 고양이

난생처음 촛불을 보고
얼굴을 디밀다가
여린 수염을 태운 다음에도

한 발 더 가까이 다가서며
가물거리는 촛불을
앞발로 잡아채 보았다가

공중제비를 돌아
날렵하게 꼬리 세우고 선
아기 고양이

가물거리는 그림자를 잡으려던
고양이의 눈동자
발끝을 세운 갈기가 광나게 서 있다

제왕나비

—아내에게

파도 위로 호랑무늬 깃을 펼치며
대지를 움켜 쥔
나비가 날고 있다

태양 너머 저 멀고 먼 산언덕에서
작은 들꽃 무리들이
피었다
지면서 비바람
헤치고 찾아 올 나비를 기다리고 있을 때

사막의 하늘 높이 날아오른 나비에게
태고의 영웅들이 놀던
산들의 장엄한 메아리는
산봉우리에 잠든 바람의 혼을 일깨워 주고

구름 뒤의 달은 나뭇잎에 매달려
쪽잠 자며 고치에서
부활하는 황금빛 호랑무늬 깃을 지켜보고 있다

백어 비늘

물속에 얼비쳐 보이는 물의
두터운 질감

손가락에 잡히지 않는 물의
투명한 살갗

물의 살 속을 파고드는
붉은 손톱 조각

무아경에 빠져 녹아 없어진
백어 비늘

알루미늄 헬멧

빛의 유선형 곡선을 타고 팽창한
하늘의 길이 열리고
아스팔트 위로 날아간 타이어

흩뿌린 꽃이파리
산을 울리는 굉음의 터널을 빠져나간
한 점 빛 오토바이

하늘에서 떨어진 알루미늄 헬멧에
반사하는 빛이
흩뿌려진 심장을 찾아내고

광속 타이어가 그리던 무지개가
부스러져 가라앉는
아스팔트에 흥건히 굳어가는 정적

양철지붕에 대한 추억

빗소리는 듣는 것이 아니라 보는 것이었다
중학생 시절 팔달로
양철 지붕 집 대청마루에서
멀리서 오는 어둠 속 빗소리를 듣고 있었는데

선잠 들어있던 내 몸 위로
한 장 담요처럼 어둠이 덮여와
눈꺼풀 감은 채
그냥 빗소리를 보고만 있었다

듣는 것이 아니라 빗소리를 처음 보았던 날
눈 감은 채 바라본 어스름한
빗소리는 젖지 않는
내 귀 속으로 가늘게 흘러들어

대청마루를 지붕 위로 떠오르게 하였는데
한 장 담요 밑에 들린 나는
지상의 빗소리가 잿빛 문 안으로
들어가는 뒷모습을 천정에서 바라만 보고 있었다.

겨자씨 햇살

나무가 묵은 잎을 지상에 날릴 때

누군가 머리맡 꽁초를 멀리 던지고

쪼그라든 겨울 햇빛을 렌즈에 모아

겨자씨 햇살로 봄을 지피는 소년

플라스틱 명찰

묵은 책을 세 트럭 넘게 끌어낸 방
흰 벽면에
서가 자국만 남겨져 있는
책 한 권 없는 공간
거세고 오랜 항해의 닻을 내린 섬

파도처럼 검은 바람 일렁이는
일몰의 창밖에는
예나 다름이 없이 세상의 이야기가
바다처럼 펼쳐지고 있는데
간직할 수 없는 비밀은 여기 무인도에 묻는다

생을 작별하는 마지막 순간도
분명 이렇게 오리라
책의 벽에 갇혀 사는 줄도 모르고
삼십년 넘게 빛바랜
서가 자국만 남기고 말았다니
그러나 이제 물러서야 할 때
방문에 붙은 플라스틱 명찰을 떼어 낸다

일몰의 유리창은 바람에 덜컹거리고
흰 벽면에 깜박거리는
시가지의 불빛은 파도를 몰고 와
쌓였던 세월의 그림자를 지우고
닻을 내린 동그마한 섬에 책 없이 홀로 앉아
바라보는 창밖의 어둠은 차가웠다

황금물고기
　　－수원 행궁동 벽화 마을 이야기

　평화롭고 오래된 마을에 브라질의 한 여성화가가 멀리
서 찾아와 황금 비늘을 가진 커다란 물고기를 행궁동 여
인숙의 벽에 그렸다. 무심코 살던 사람들은 기뻐하며 그
황금물고기가 그들을 부자로 만들어 줄 것으로 기대하고
마을의 벽을 그림으로 채우기 시작했다. 황금물고기 그림
으로 마을은 세상에 널리 알려져 유명하게 되었지만 사람
들은 부자가 되기는커녕 소란스럽고 불편하고 오히려 당
국의 규제는 까다로워져 살림살이는 더 나빠졌다.

　조바심 많은 사람들이 조금씩 화가 나기 시작 할 무렵
자신의 나라로 돌아가 아이를 출산하려던 화가마저 사망
했다는 소문이 들려왔다. 희망을 잃어버린 사람들이 조금
더 기다려 보자는 사람들의 말을 무시하기 시작하던 어느
날 밤 누군가 한 사람이 몰래 황금물고기를 빨갛게 칠해
버렸다 처음에 놀랐던 사람들도 하나둘 벽화를 지우기
시작했다.

　아무리 붉게 칠해도 좀처럼 사람들의 화는 풀리지 않

았다. 처음에는 황금물고기를 그린 화가를 욕하다가 마침내 그를 불러온 사람 누군가가 그들을 속였다고 말하기 시작했고 마을 사람들은 둘로 갈라져 흉하게 지워진 벽화처럼 다시는 평화롭게 살기 어려운 동네가 되었다.

황금물고기가 지워지고 그들이 아무리 머리를 맞대고 회의를 해도 더 이상 화목하게 살기 어려운 동네가 되었을 때 마음속으로 무언가 불편함을 느끼며 살던 사람들은 어느 날부터 황금물고기를 꿈꾸기 시작했다. 그들의 꿈속에서 황금물고기가 꼬리치며 움직이기 시작하자 바람이 불고 사람들은 희망을 갖기 시작했고 동네는 다시 활기에 넘치고 정다운 웃음소리가 피어나기 시작한 꿈의 마을이 되었다.

제2부

파도치는 날개

검은 갯돌에 나비 한 마리
바다 저 편에서 거친 물결을 헤치고 온 듯
날개를 접고 앉아 있다

밀물이 소리치며 밀려들어오는 바닷가
먼 수평선에서 만선의
그물을 물가로 끌어당기듯 지친 저물녘

생의 모든 것을 포기한 사람처럼
망연히 먼 바다를 바라보고 서 있었는데
두 날개를 접은 하얀 돛배나비가

어둠이 내리고 있는 검은 갯돌에
이승 너머 세상으로 나를
홀리러 온 귀신처럼 조용히 앉아 있다

삼각주에서

질주하고 싶다

대지의 거죽을 마분지처럼 찢고

모래 폭풍 원을 그리며

다시 대평원을 질주하고 싶다

초승달

서리 맞은 선승의 콧날은 검푸르다

시인

거룩하게, 아니

이 끓는 누더기 옷 걸친

거지처럼

성자처럼, 아니

버려진 성자처럼

호롱불 귀신

꿈속에서 호롱불 하나 얼른 집어먹고
바람처럼 들판을 가로질러
깡충거리며 가물가물 사라져가고 있었다
누군가 후하고 입김을 부니 캄캄한
어둠이 덮쳐와 호롱불
찾으러 뒤척이는 손 그림자가 등 뒤에서 번득였다
불기 없는 밤의 숨구멍을 비틀어
누군가 내 목구멍에서
뜨거운 호떡처럼 집어 먹은 호롱불 꺼내
본 적 없는 악몽이 마구 칠해지던
흑판을 재빨리 지우고 간
호롱불 귀신 찾아 화살처럼 날아가고 있었다

허공의 메아리

가끔 꿈속에서 놀라 소리 지른다
관 속에 갇힌 느낌이 들어 가위눌린 가슴을
안고 깨어날 때다
못 박는 소리 고막을 울리면
누구도 꺼내 줄 수 없는 먼 허공에 대고
알 수 없는 말로 크게 소리치며
소리의 메아리를 따라가다가
허공에서 길을 잃어
깨어나면 생각나지 않는 꿈을 찾으러 간다

극서정시

우주를 유영하는 점박이 별들의 악보

세상살이 보듬어 푸른 달밤의 아리아

언덕 위의 바람에 날리는 풀씨 한 점

태양이 묘지에서 부르는 대지의 노래

손

반딧불이

하나 잡은 아이의

손

가득한

어둠 속의 빛

꺼라, 휴대폰

쉿 !

꺼라, 높푸른 하늘이다

아 !

싱그러워라, 감나무 빛

토담집 굴뚝새

진종일 핏기없던 해가 꽁지 빠져
서산 너머 사라질 때

흰 연기
길게 피워 올리는 외줄기

산자락 토담집
돌아오지 않은 아이 밥상머리에

쪼그려 앉아 호롱불
심지 돋우는 등 굽은 벽 그림자

칸나의 촉

찰나는 빛이 없다

태초의 어둠 속으로 질주하는

빛보다 먼저 찰나의

어둠을 찢는 칸나의 촉

공놀이하지 않는 달마

공 속에서 공의 그림자를 찾으러 놀이하지 마라
달마의
공 속에는 공이 없다

공 밖에도 공은 없고 공 속에도
공이 없으니
이승도 저승도 공이 없어

공 속에서 공의 그림자를 찾으러 놀이하지 마라
달마의
둥근 달 겨울밤 중천에 피리를 불고 있다

자객의 칼

번득인 순간 가로지른 빛

검광을 움켜쥔 하늘 아래

이승의 꽃잎만 흩날리고

하얗게 굳은 검푸른 입술

배꽃 동산

달빛이 환한

배꽃 동산

거짓말도 비밀도 다 아름다운

세상 너머 세상

배꽃 동산

문득 생각나는 사랑

꽃 피고 새 울던 날 저 멀리 떠나간 사람

저물녘 찬 바람이 불어 문득 생각나는 사랑

세월의 길목을 지키며 홀로 노래하던 사람

저물녘 신호등 지나면 멀리서 걸어오는 사람

만날 수 없어도 가슴 저미게 피어나는 사람

꽃 지는 아침 바람결에 문득 생각나는 사랑

세월의 길목을 지키며 홀로 노래하던 사람

저물녘 신호등 지나면 멀리서 걸어오는 사람

* 유튜브에서 테너 김승직, 이정원 등의 노래로 들을 수 있음.

제3부

광야의 선지자

목사의 설교는 침 묻은 성경책

인간의 혀가 아니라

광야의 외침 찾아서

머리통 부수고 나가고 싶은 날

지동시장 봄바람

새 싹은 누구도 다 억누를 수 없다

길거리 노점 미나리 파란 이파리들

처녀애들 보리이랑 머리칼 날리며

지동시장 휘모는 광나게 훤한 봄바람

나비

잘게 찢긴 흰 테이블보 조각이

나무다리 깃대 타고 날아올라

허공에서 추락한 나비 그림자

테이블 위에 접힌   흰 손수건

혀의 침묵

말하지 않고 다물고 있는
혀의

침묵보다

더 큰
입은 지상에 없다

분노한 입이 감아올린 혀는
하늘에 닿아 있다

빨래

양은 대야 밑바닥을 치고 튕겨 오르는
피라미 떼 비늘처럼
눈 시리게 뽀얀 햇살 넘쳐
어미 젖가슴에서 흘러나온 살의 향기
바지랑대 높이 걸려
두 팔로 햇살을 펄럭이며
마르고 있는 빨래들의
흰빛 숨소리
바람에 실려 오는 엄마 젖가슴 냄새

여름풀들은

낮이 베고 간 자리보다
소가 뜯고 간 자리가 더 아픈
여름풀들은
새끼 밴 어미 소보고
올겨울 잘 넘기라고
힘을 내 잘 걸어보라고
자기도 모르게 젖먹이 풀을
기르면서, 제 몸
아픈 줄 모르고 자라는
여름풀들은 발걸음
굼뜬 어미 소 뒷등을
웃자란 손바닥으로 토닥여준다

망사 스타킹

보도블록 위를
흰 망사 스타킹 두 개가 걸어가는
환한 빛 세상

오월의 나무 넝쿨 출렁이듯
싱그러운 바람
일으키며 걸어가는 치맛자락

가로등이 점멸하는 순간
사라진 신기루
흰 망사 스타킹 두 개가

하이힐 굽으로 수박을 쪼개듯
또 다른 빛 세상
보도블록 위를 걸어가고 있다

물방울 보석

무르익은 더위가 잠시 숨 돌리는
짙은 그늘 속에
물기 서린 습한 녹색 포자들이

푸르른 파동의 기류를
타고 날아올라
생명의 씨를 잉태하는 포도밭

빛나는 태양이 잎사귀에 은빛 부채를
펼쳐 들고 달밤의 푸른 빛
전설이 여자애들 젖가슴에 몽우리 서듯

여린 육질의 송이들을 감싼
종이봉지들이
금빛으로 물들여가며 붉은 대지에서

솟구쳐 오르는 열기를 뿜어 올려
녹색의 물방울 포자들을
보석으로 응결시키는 팽팽한 햇빛들

감꽃 냄새

머리카락 날리며 고무줄놀이하는 여자애들
노랫소리가
감꽃 떨어진 자리엔 아직도 살랑이고 있다

달큼한 감꽃 목에 걸고 머리카락 하늘로
솟구치며 부르던
노랫소리가 여자애들 종아리에 감겨 있다

죽기 전날 가장 착한 동무가 홀로 불던
버들피리 소리는
죽어서도 차마 어린 여자애들 못 잊어

푸릇한 봄바람이 고무줄 휘감아 불어오면
홀로 술래가 되어
감꽃처럼 하얀 얼굴 동무들 찾으러 왔다

화령전

햇무리가 아무리 쓸어내려도
등 뒤가 시리다

오종종하게 양지 녘에 모여든
꽁지 빠진 새

마른 무말랭이처럼 꼬부라진 겨울 햇살
쪼아 먹은 새들이

촉을 벗겨 낸 마당
햇살이랑 펼치는 시린 빛 눈 부시다

* 화령전 : 수원 화성 행궁 옆에 있는 정조의 영정을 모시던 전각.

박꽃

박꽃 진 초가지붕에 휘영청
울다 간 누이가 왔다

뒤도 돌아보지 않고 집 떠나
후살이 간 누이

하얀 백지장
울음을 먹고 달덩이가 떴다

햇빛 한 움큼

하루 종일

가을 햇빛만 한 움큼

왔다가는

툇마루에 고이는

눈물

줄무늬 정적

-단아에게

오솔길 황금 햇살 가로질러
건너뛰는
알밤 색 줄무늬 다람쥐

떡갈나무들 사이로 부유하는 솜털
날리는 햇살이
오소소하게 일어나

겨울맞이 숨기 놀이하자고 굴러간
알밤을 찾으러
앞발 오므리고 오뚝 선 다람쥐

불룩한 등판에 금빛 햇살
올록볼록한
잔물결 유기 두는 줄무늬 징직

무인도

백색의 병동에 홀로 갇혀 말이 삭은 영혼

마지막 발자국 소리마저 지워진 무인도

바닷가 갯돌에 새똥처럼 말라붙은 울음소리

나눌 수 없는 죽음 백색 병동의 시든 꽃

무량수전 석등의 노래

어디선가 꽃잎 하나 연꽃무늬 석등에 날아와
등불을 켜니 무량수전 앞마당이 환하게 밝아오고
석등에 비친 얼굴에는 사랑의 미소가 피어나고

꿈보다 아름다운 불빛 가슴에 벅차던 날들아
등불 꺼진 석등 너머 세상은 어둡고 무정해라
석등에 새겨진 하염없는 세월은 바람에 날리고

천년이 흘러가도 석등의 노래는 끝나지 않아
꽃잎은 바람결에 날아와 바람결에 사라지고
석등의 노래에는 영원한 사랑의 전설 전해오네

석등에 비친 얼굴에는 사랑의 미소가 피어나고
석등에 새겨진 하염없는 세월은 바람에 날리고
석등의 노래에는 영원한 사랑의 전설 전해오네

제4부

시

터지는 순간 사라지는 빛

가장 열렬한

첫사랑

거미 가족

-소담에게

해질녘 방 안을 가로질러
기어가던 다리 긴 거미 한 마리를
무심코 밖으로 쓸어내고 나니

어린 거미가 어디선가
길을 잃고 어미 찾아 헤매고 있는지
찾아오는 사람 하나 없는 밤

거미 그림자가 점점 자라나
등 뒤에서 부스럭거리는 소리 들리고
멀리 공부 간 아이 얼굴 떠올라

해질녘 쓸어냈던 거미가
어린 거미 찾아 돌아오기를 기다리는 밤
거미와 나는 안방의 한 가족이다

풀꽃 이야기

옛 성터 아래 터를 잡은 그리운
어머니의 집

도란거리는 숨소리 듣는 꽃대 갸웃한
풀꽃 이야기

지순한 마음 서로 보듬어 피워낸
자잘한 생명들

별을 부르면 대지의 아이들이 응답하는
싱그러운 목소리

중학생

등교 첫날 아침
곱은 손으로 달아준 금단추

검은 교복에
삐져나온 흰 실밥

까까머리 낯선 아이들
손가락

이제야 얼굴 붉히며
곱은 손

할머니 그리워 고개 숙이는
머리 흰 중학생

거울이 훔쳐간 내 얼굴

겨드랑이에 거웃이 자라기 시작하던 어느 날

잠깐 낮잠 든 사이 거울이 흔적 없이 내 얼굴을 훔쳐
갔다

내 얼굴이 아닌 다른 사람의 얼굴을 보여주며 그 얼굴이

네 얼굴이라고 무심하게 말한다 갑자기 얼굴을 빼앗긴
나는

거울아 거울아 진짜 내 얼굴을 내어놓아라

대체 나를 어디에 숨겨 놓고 있느냐

저물녘까지 묻고 울고 묻다가

들판의 옥수수수염만 길게 자라나서 참을 수 없는 공
포가 일어 돌을 들어 거울을 깨트려버렸다

이제 거울을 아무리 들여다보아도

정말 내가 사랑하던 얼굴을 찾을 수 없다는 것을 깨닫고

내 얼굴을 되살려 보려고 소리쳐 울었지만

깨진 거울은

조각난 파편만 보여줄 뿐

잠깐 낮잠 든 사이에 훔쳐간 내 얼굴은 끝내 돌려주지
않고 이상한 웃음만 날리고 있었다.

가랑잎 가랑비

바람 사이로 가랑잎
가랑가랑
사람 사이로 가랑비
가랑가랑

가랑이 사이사이로
휘몰아드는
가랑잎 바람에 가랑비
옷소매

기침소리 잦아드는
사이사이로
늦은 봄날 오후의
가랑비 소리

가랑비 사이로 한 모금
넘어가는
가랑잎 바람에 젖는
가랑비 옷소매

셋방살이

갈대자리 깔린 목수네 문간방

정정한 갈매나무 잎만
들창을 치는 저물녘, 싸락눈 날리고
겨울바람 몰아치는
저 황막한 북만의 거리

찾아오는 사람 없이
높고 외롭고 쓸쓸한 시인, 백석

* 백석의 시「흰 바람벽이 있어」 등의 일부 표현을 차용했음.

술집 골목

거미 다리가 길게 보이는 날이 있다

만취 다음날

더부룩이 자란 수염 얼굴 내밀고

술집 골목 거미줄에 걸려 흔들리는 다리

설연화雪蓮花

바위틈 사이에 칼날처럼
솟은 고드름
발밑에 하얗게 부스러트리고

옷자락 날리며 설산을 오르는
협객처럼 소소리바람
헤치고 벼룻길 올라설 때

홀연히 눈에 밟혀 웃음 짓는 너
봄맞이 전령사
눈 속의 노란 꽃 설연화야

바위를 깨물며 울던 눈보라
가슴에 품고 차마
못 잊을 사람 찾아 여기 왔느냐

달빛 강물

달빛 강물을 건너던 진흙 수레바퀴
물밑 자갈돌에 걸려
얇게 잠든 아이가 벽을 향해 돌아 눕고

잔잔한 달빛 차갑게 찰랑거리는 물이랑
진흙 수레바퀴
자갈돌 넘어가며 비틀리는 물소리

젊은 아버지는 돌아올 기척도 없고
그 옛날 숨소리 무거운
벽 모서리에 치렁하게 걸려 있는 옷자락

돌아누운 아이는 물결 따라 잠들었는데
한숨소리 실린
달빛 강물 진흙 수레바퀴 건너가고 있다

신성한 등불

고독에 빠진 홀로임을 넘어설 때 인간은

거대한 산이 된다.

눈 깊은 산속에 누가 등불을 켜 두었는지

알 수는 없어도 지척을 분간할 수 없는

혹한의 겨울에도 산속으로 홀로 걸어 들어가는

인간의 발자국이 새겨지고 있다.

인간의 향기

독한 물방울 거품 터지기
직전
지구덩이가 몸속에서 출렁거리는
비애의 술통,
꼭 오므린 입
분수처럼
뽀얗게 솟구치는 인간의 향기

하이난 섬의 눈동자

망루에서 출항하는 검붉은 눈동자

응답 없는 허공에 피워 올리는 춤

먼 바다의 불빛을 부르는 수신호

손끝에서 부스러지는 향기로운 재

떠 있는 사랑 노래

가보지 않은 섬, 부르는 사람 없어
입술에서 맴돌다 문득
가슴을 울리는 한 소절의 노래가 시야

날개 잃은 인간들 어깨 좀 펴라고
신호등 켜주는 가로수 길
홀로 갈 길을 찾지 못해 서 있는 네거리

사람들 사이로 부는 허전한 바람 타고
낙엽처럼 무작정 날아올라
정처 없이 흘러 다니는 외로운 저물녘

가보지 않은 섬, 부르는 사람 없어
입술에서 맴돌다 문득
가슴을 울리는 한 소절의 노래가 시야

설시雪柿

청년 동리가 일제하에 야학을 하며
등신불을 썼다는
봉명산 다솔사 아랫동네에서

사천의 깡마른 물줄기를 둔덕으로
끌어당기고 귓가에 들리는
남해의 파도소리를 가슴에 품어

졸업 후 삼십년 넘게 자식들
머리통 키우듯
대봉감만 바라보며 살아온 이야기

조근조근 듣는 초겨울 옛 대학 제자
설시 머리카락에
실눈 촉 반짝이는 햇살들

* 다솔사: 경상남도 사천에 있는 사찰
* 등신불: 김동리의 소설

버려진 탕아

　하수가 흘러가는 개천가 비탈길에 움막을 치고 개구리
와 뱀을 잡아먹고 산다는 그가 비틀거리며 산발한 채 신
작로 거리로 나왔다는 소문이 퍼지면 삽시간 떼 지어 모
여든 아이들은 소리치며 돌을 던지며 뒤쫓다가 그가 힐긋
고개를 돌리는 찰나 온몸이 오그라들었다.

　산발한 머리카락 사이로 흘러나오는 뱀눈같이 가는 싸
늘하고 음산한 눈빛에 일시 기가 질린 아이들은 동무들의
함성을 믿고 더 크게 소리 지르며 그를 뒤쫓았다. 때로
아이들이 던진 돌에 맞아 이마에 피를 흘리는 막다른 지
경에 이르면 그는 높은 언덕 위에 있던 교회 안으로 재빨
리 몸을 피했다.

　바로 눈앞에서 당장 불태워 죽여야 할 마귀를 놓쳐버
린 것처럼 아이들은 온몸을 떨며 땅바닥을 두드리며 여름
밤 개구리보다 크게 욕설을 뒤섞어 미친놈아 빨리 밖으로
나와 심판을 받으라고 교회당 검은 철문을 향해 소리를
질렀다.

　산발한 머리칼 날리며 그가 사라지고 한참 동안 아무

응답 없던 교회당 안에는 이상한 정적이 흐르다가 난데없이 종소리가 밖으로 울려 퍼졌다. 그 소리는 마치 하나님이 버려진 탕아를 구원하셨다는 응답처럼 들려와 성난 목소리로 외치던 아이들은 입을 다물지 못하고 이상한 눈길로 하늘 높이 솟은 십자가를 우러러볼 뿐이었다.

산동네 봄 언덕길 리어카

솔기 터진 누더기 옷 입고
작은 기쁨이라도 함께 나누며 살았던
가난한 산동네 사람들에게는
봄 언덕길 연탄배달
리어카 바퀴에서 떨어지는 땀방울이
생의 불덩어리가 된다.

아버지는 끌고 아들은 밀고
어린 누이가 늦은 밥상을 차리던
겨울밤 호롱불 아래서 두런거리던 이야기들은
이제 산 아래로 떨쳐버리고
푸른 하늘을 향해
가슴을 펴고 팔과 다리를 뻗어본다.

겨울나무에서 연둣빛 새 움트고
하늘 높은 곳을 살랑거리는
봄맞이 바람이 웃고 있다
역경을 이겨내는 사랑의 힘으로

연탄배달 리어카 바퀴를
웃으며 힘껏 밀어 올리는 흙 묻은 얼굴들,

솔기 터진 해진 옷 누비다가
몸져누운 어머니 마음속
타다 남은 연탄재를 입에 물고
하늘로 날아오른 종달새가
버들잎 바람에 날리는 새 날을 부르는
파릇한 산동네 아지랑이를
실은 리어카가 언덕길을 오른다.

시의 황홀경, 극서정의 감각적 비의

이 찬(문학평론가)

언어의 극소화, 서정의 극대화

최동호의 여덟 번째 시집 『제왕나비』에는 그가 오랜 시간 동안 세심하게 다듬고 벼려온 시의 정수가 오롯한 광휘처럼 휘감겨 있다. 이는 그의 최근 시적 행보를 집약하는 '극서정시'의 방법론과 예술적 도안이 이 시집의 마디마디에 스며있다는 것을 뜻한다. 또한 '극서정시'의 창작은 그의 비평 문헌들에서 제시된 새로운 담론의 창안과 동시에 이루어진 것이기도 하다.

그는 2000년대 이후 한국시의 주류적 흐름을 표상하는 '미래파'의 난경과 한계를 극복하기 위한 대안적 좌표로서 '극서정시'를 내놓는다. '극서정시'의 가치론적 벡터는 '소

통불능의 과소비적 시들에 대해서는 서정시 본연의 절제와 여백의 활용으로 보다 견고한 시' '비정형의 단형시가 지니는 시적 특징을 집약한 용어' '단형의 명징성을 극대화한 시'(『디지털 코드와 극서정시』, 서정시학, 2012) 같은 술어들로 간명하게 축약될 수 있다. 이 술어들은 '미래파' 이후 한국시의 진로를 '극서정시'라는 새로운 좌표를 통해 제시하려 한다는 것을 선명하게 드러낼 뿐만 아니라, 그것의 구체적인 지향점이 '미래파'와는 정반대의 방향, 즉 언어와 이미지의 극소화 전략에 있다는 사실을 전제하기 때문이다.

이와 같은 '극서정시' 담론은 우리 시단에서 적지 않은 호응과 반향을 불러일으켰던 것으로 보인다. 특히 김용택, 정호승, 도종환, 안도현 등의 중견 시인들이 참여한 시노래 모임인 '나팔꽃' 동인이 '신세대 문화의 홍수 속에서 새로운 시정신으로 무장한 노래에 의한 서정성의 회복'을 강조하면서 의욕적으로 출범했던 일이나, 서울 이지엽, 제주 나기철, 남원 복효근, 울산 정일근 등등 각 지역을 대표하는 전국 7명의 시인들이 공동으로 창립한 '작은 시 詩앗·채송화' 동인의 꾸준한 활동과 동궤를 이루면서 그 영향력의 스펙트럼을 지속적으로 넓혀왔다고 하겠다.

또한 서정시학의 서정시 시리즈로 출간되었던 조정권의 『먹으로 흰 꽃을 그리다』, 이하석의 『상응』, 최동호의

『얼음 얼굴』 등과 같은 단형소품 시집들의 지속적인 출간 역시, 2019년 입춘에 이른 지금—여기까지 활발하게 이어지고 있는 "극서정시"의 영향력을 또렷하게 예시한다. 나아가 시조 시단에서 최근 일어났던 단시조 부흥의 주도적인 흐름들이나, 이종문 시인을 중심으로 전개된 1행시 창작 운동 역시 이와 같다. 따라서 '극서정시'는 '미래파' 이후 한국 시단의 여러 층위에서 지속적인 호응을 이끌어냈을 뿐만 아니라, 이미 중요한 문학사적 매듭 하나를 구성한 것처럼 보인다.

'극서정시'라는 말의 축자적 의미를 다시 뒤따라 가보자. 그 말의 소리영상이 즉각 풍겨내는 암묵적 뉘앙스처럼, '극서정시'는 '디지털 시대 젊은 시인들의 과다한 시적 수사의 양적 과잉에 대해 서정시 본연의 길을 모색하는'(『디지털 코드와 극서정시』) 과정에서 창안된 것이 틀림없어 보인다. 따라서 극소량의 이미지를 통해 언어의 경제성과 함축성을 최고로 끌어 올리려는 단형소품의 모양새가 나타날 뿐만 아니라, 그 뒷면에선 최대치로 확장된 침묵의 깊이와 여백의 음영이 깃들게 되는 것은 필연적인 결과이다.

물론 '극서정시'의 한자 표기인 '極抒情詩'는 표면적으로 서정을 극대화한 시라는 뜻으로도 읽힌다. 그러나 그것의 진의는 서정의 정수와 결정으로 이루어진 시, 달리 말해 시어와 이미지를 극소화하여 순수 서정의 최고치에 도달한 시라는 심층적 의미에 방점이 찍혀 있는 것으로 보인다. 특히 2000년대 이후 한국시를 장악했던 '미래파'의 주류적 흐름을 넘어서려는 담론의 기획으로 이루어져 있다는 사실을 염두에 두면, 그것은 형식적 미니멀리즘을 중핵으로 삼아 최고 순도의 서정을 벼려내는 데 초점을 두고 있는 것이 분명해 보인다.

침묵의 공간, 여백의 미학

쉿 !

꺼라, 높푸른 하늘이다

아 !

싱그러워라, 감나무 빛

−「꺼라, 휴대폰」 전문

터지는 순간 사라지는 빛

가장 열렬한

첫사랑

-「시」 전문

질주하고 싶다

대지의 거죽을 마분지처럼 찢고

모래 폭풍 원을 그리며

다시 대평원을 질주하고 싶다

-「삼각주에서」 전문

　먼저 인용 시편들이 그려내는 형태론적 윤곽선을 그대로 따라가 보자. 이들은 하나의 행이 동시에 하나의 연을 이루면서, 셋 혹은 넷의 마디들이 시작품 전체를 완결 짓게 되는 공통된 모양새를 품는다. 이는 결국 시인이 극소량의 언어와 이미지들만을 활용하여, 그 마디마디의 사이 공간에서 여백과 균제의 힘이 강력하게 응집될 수 있는 미학적 단자(monad)를 겨냥하고 있다는 사실을 암시한다. 따라서 이 시집의 대다수 시편들은 단형소품의 형태와 미니멀리즘의 윤곽선을 제 거죽을 마름질하는 형상화의 중심축으로 거두어들인다고 하겠다. 그러나 이렇듯 극소치로 절제되고 생략된 언어와 이미지들은 서로를 마주보고 겹쳐 울리면서, 그 사이사이의 침묵의 공간과 행간의 음영을 무한정한 깊이와 넓이를 지닌 것처럼 빚어 놓는다.

「꺼라, 핸드폰」의 본문을 구성하는 네 마디의 이미지들은 실상 제목에 나타난 '휴대폰'이라는 인간의 문명화 산물과는 아무런 관련이 없다. 따라서 이 시편은 '꺼라 휴대폰'이라는 제목 자체가 본문의 이미지들과 보이지 않는 상응(correspondence)의 거울로 마주서는 웅숭깊은 짜임새를 품는다. 첫머리로 솟아오른 '섰'은 나날의 삶을 꼴 짓는 이런저런 인간적 표상들과 제도적 장치들에 의해, 하이데거가 말한 '빠져있음'(Verfallen)의 상태로 내몰릴 수밖에 없는, 우리 현대인들의 소음으로 가득 찬 실생활들을 제 뒷면에 거느린다. 그 뒤를 잇는 '꺼라, 높푸른 하늘이다' 역시 덧없고 비루한 일상세계로부터 훌쩍 날아올라, '높푸른 하늘'로 표상되는 형이상적 본질세계(eidos)로 나아가려는 가치지향성을 보이지 않는 침묵의 공간에 흩뿌려 놓는다.

이처럼 순도 높은 이미지의 함축성은 3행의 '아!'라는 감탄사와 느낌표, 4행의 "싱그러워라, 감나무 빛"이라는 이미지에서도 고스란히 이어진다. 이들은 앞선 1−2행의 이미지들과 보이지 않는 연락관계를 이루면서, '휴대폰'이라는 최첨단 과학기술과 그것이 표상하는 문명사의 시간보다 훨씬 더 깊고 드넓은 것일 수밖에 없을 자연사의 시간을 제 거죽 위에 소리 없이 펼쳐 놓는다. 이는 결국 「꺼라, 핸드폰」이 '높푸른 하늘'과 '감나무 빛'에 주름진 자연사의 시간과 '휴대폰'으로 집약된 문명사의 시간이 서로를 가로지르고 더불어 울려나면서, 보이지 않는 뒷면에서 상응의 별자리를 뿜어내고 있다는 것을 뜻한다. 달리 말해, 「꺼라, 핸드폰」은 우주적 유비(analogy)의 이념적 광휘를 휘감는다. 따라서 이 시편은 우주 삼라만상으로 뻗어나가는 유비적 세계상을 은은하면서도 강렬하게 응축된 침묵의 주름 안쪽에다 빼곡하게 에두른다. 이 또한 소우주와 대우주의 아날로지, 곧 세계 삼라만상 전체를 광대무변한 연결고리로 조응하게 만들려는 시인의 첨예한 제유提喩의 수사학, 그 수미일관한 방법론적 기획에서 비롯한다.

「시」, 「삼각주에서」 같은 작품들에서도 제유의 수사학은 도드라진 형세로 들어박힌다. 특히 「시」는 단 세 마디로 구성되어 있음에도 불구하고, 시의 매혹과 마력에 붙들려 그것에 제 일생을 걸 수밖에 없었던 시인의 헌신적인 실존의 내력 전체를 응축한다. 그렇다. '시'라는 존재는 '터지는 순간 사라지는 빛'일 수밖에 없을 것이나, 그것을 제 가슴팍 깊숙이 날인하여 운명처럼 받아들인 사람

이야말로 '시'인지도 모른다. 아니, '시'를 '가장 열렬한//
첫사랑의 입맞춤'처럼 간직하여 그것을 영원토록 다시 살
아내려는 시인이야말로 '시'일 것이 틀림없다. 달리 말해,
여기서 '시'는 그것 자체가 내뿜는 원초적 매혹의 '순간'
을 니체의 영원회귀(die ewige Wiederkunft)처럼 받아들여,
일생을 다해 헌신해온 시인 제 자신을 암시한다. 따라서
이 시편의 제목은 그 자체로 이미 제유법의 음영을 깊숙
이 드리운다. 그것은 앞면에 선명하게 나타난 이미지들의
돈을새김과 뒷면에 소리 없이 스민 여백의 공간을 동시에
감싸면서, '시'의 원초적 황홀경과 그것에 바쳐진 시인의
실존의 역사 전체를 축약하기 때문이다.

「삼각주에서」역시 여백과 침묵의 공간으로 엇물린 의
미의 겹주름들을 거느린다. 표제어인 '삼각주에서'와 첫
행의 '질주하고 싶다'는 형상은 서로 겹쳐 울리면서 우주
삼라만상의 원초적인 꿈틀거림, 그 생명력의 발산을 상기
시킨다. 곧바로 이어지는 '대지의 거죽을 마분지처럼 찢고/
모래 폭풍 원을 그리며'는 이미지는 저 힘과 생명력이 인
간의 사유와 상상력을 훌쩍 뛰어넘은 자리에서 솟아오른
다는 것을 암유한다. 따라서 이 시편의 마당에서 '일상적
인 의미의 느낌을 능가하는, 바로 한계에 다다른 주체가
겪는 느낌'(장-뤽 낭시, 「숭고한 봉헌」, 『숭고에 대하여』, 문학
과지성사, 2005)일 수밖에 없을 '숭고'의 미감이 드넓게 스

며나게 되는 것은 무척이나 자연스럽다. 특히 2연의 '대지의 거죽을 마분지처럼 찢고'나 3연의 '모래 폭풍 원을 그리며' 같은 난폭하면서도 광활한 자연의 야생적 이미지는 우주적 생명력이 품은 역동적인 힘의 발산을 나타내는 동시에 그것에 도달할 수 없는 인간적인 것의 무능과 한계를 소리 없이 비춘다. 결국 「삼각주에서」는 단 네 마디로 짜인 극소치의 언어와 제유법의 이미지를 통해 인간과 자연, 문명과 야생, 억압과 자유 등으로 연쇄되는 대립적 의미소를 동시에 품을 수 있는, 지극히 넓고 깊은 여백의 음영을 거느리고 있는 셈이다.

이렇듯 『제왕나비』에 수록된 대다수의 시편들은 극소량의 이미지들을 통해 어떤 찰나의 풍경들을 포착하려 한다는 점에서 이미지즘의 필법을 닮는다. 그러나 이 풍경들은 그저 고요하게 멈춰 서있는 관조적 이미지에 머무르지 않는다. 오히려 제 뒷자락에 감춰진 무수한 사건들을 징후처럼 드러내면서, 시인 제 자신과 우리 모두의 실존에 켜켜이 잠겨있을 존재론적 그리움, 노스탤지어의 감수성을 곳곳에다 흩뿌려 놓는다. 이는 『제왕나비』가 '객관적 상관물'로 표상되는 이미지즘의 정공법을 계승하면서도, 그 사이사이의 보이지 않는 뒷면에서 미감의 별자리들이 번뜩이며 광휘를 뿜어내는 독특한 방법론적 성취에 이르렀다는 것을 암시한다.

결국 이 시집은 이미지즘의 투명하고 섬세한 객관 묘사법을 수용하면서도, 그 마디마디에서 우리 현대인들의 삶과 최첨단 과학기술의 문명화 과정이 현재적 시점에서 치러내고 있을, 또는 그것이 가야 할 길의 정신적 지도를 말없이 새겨 넣고 있는 셈이다. 따라서 시인이 최근 내놓은 '극서정시'라는 담론의 좌표가 '미래파'의 다변과 요설, 이미지 과잉의 수사학적 패러다임을 넘어서려는 자리에서 기획된 것은 틀림없는 사실일 것이나, 이미 오래전 제시되었던 '정신주의'를 보다 섬세하고 강렬하게 집약한 시적 이념의 축도에 해당될 것 또한 자명한 일일 터이다.

가령 '백색의 병동에 홀로 갇혀 말이 삭은 영혼// 마지막 발자국 소리마저 지워진 무인도// 바닷가 갯돌에 새똥처럼 말라붙은 울음소리// 나눌 수 없는 죽음 백색 병동의 시든 꽃'(「무인도」), '아지랑이 살랑거리는/ 봄날 오후// 동자승 둥근 머리/ 파릇한 후광// 낭떠러지/야생화 가녀린 향기// 운판 소리 산 너머/ 구름 타고 목어가 난다'(「목어가 난다」), '물속에 얼비쳐 보이는 물의/ 두터운 질감// 손가락에 잡히지 않는 물의/ 투명한 살갗// 물의 살 속을 파고드는/ 붉은 손톱 조각// 무아경에 빠져 녹아 없어신/ 백어 비늘'(「백어 비늘」)에서 펼쳐진 이미지들의 짜임새와 그 틈새에서 배어나는 뉘앙스들의 흩날림을 천천히 음미해보라.

이들은 청신하고 명징한 시각적 이미지들을 전경화하고 있다는 점에서, 언뜻 이미지즘의 묘사법을 따르고 있는 듯 보인다. 그러나 각각의 시편들을 구성하는 이미지들의 마디마디에선 다양한 풍경들의 즉물적 묘사를 넘어서, 인간과 자연과 우주의 섭리를 근원적인 차원에서 톺아보려는 시인의 철학적 통찰이 은은하게 스며난다.

「무인도」는 '백색의 병동에 홀로 갇혀 말이 삭은 영혼'이나 '마지막 발자국 소리마저 지워진 무인도' 같은 편린들을 통해 요양병원에 제 몸을 의탁하고 있을 무수한 노인들의 적막하고 비감어린 여생을 묵묵히 환기시킨다. 나아가 그 누구도 피해갈 수 없을 죽음의 그림자를 어렴풋한 분위기로 덧씌운다. 그런가 하면, 「목어가 난다」, 「백어 비늘」 같은 시편들은 산뜻하고 단아하게 벼려진 자연 풍경의 이미지들로 이루어져 있음에도 불구하고, 그 배면에는 시인이 오랜 세월 동안 품어온 사색의 깊이가 심미적인 영기(Aura)를 타고 흐르는 듯 보인다. 「목어가 난다」가 '아지랑이'로 대변되는 생명력의 움직임과 더불어 '운판 소리'로 표상되는 중생 구제와 영혼 천도遷度의 리듬감을 슬며시 흩뿌린다면, 「백어 비늘」은 '손가락에 잡히지 않는'과 '무아경에 빠져 녹아 없어진'데 깃든 인간적인 것의 무능과 유한성, 그 존재론적 비애감을 둔중한 깊이로 드리운다.

空과 無明, 세속적 삶의 대안

가끔 꿈속에서 놀라 소리 지른다

관 속에 갇힌 느낌이 들어 가위눌린 가슴을

안고 깨어날 때다

못 박는 소리 고막을 울리면

누구도 꺼내 줄 수 없는 먼 허공에 대고

알 수 없는 말로 크게 소리치며

소리의 메아리를 따라가다가

허공에서 길을 잃어

깨어나면 생각나지 않는 꿈을 찾으러 간다

－「허공의 메아리」 전문

이제 고희古稀의 시간을 넘어선 시인에게 '허공의 메아리'로 일컬어지는 죽음의 불안과 공포가 불현듯 찾아드는 것은 그 누구도 어쩔 수 없는 불가피한 일일 것이다. 실상 죽음이라는 저 절대적 타자성의 시간 앞에서 그 누군들 자유롭겠는가? 또한 그 누가 제 몸을 겸허하게 여미지 않을 수 있겠는가? 그렇다. 첫머리에 나타난 '가끔 꿈속에서 놀라 소리 지른다'라는 구절만큼, 죽음의 공포를 살갗으로 파고드는 즉각적인 느낌으로 일깨우는 것은 아무것도 없다. 곧바로 이어지는 '관 속에 갇힌 느낌이 들어 가위눌린 가슴을/ 안고 깨어날 때다'라는 폐쇄와 고립의 이미지들은 첫머리의 날 선 긴장감을 보다 팽팽한 압력으로 배가시킨다. 특히 '못 박는 소리 고막을 울리면/ 누구도 꺼내 줄 수 없는 먼 허공에 대고/ 알 수 없는 말로 크게 소리치며' 같은 이미지들의 움직임은 다시 돌아올 수 없는 삶의 끄트머리, 그 백척간두 위에 선 자만이 드러낼 수 있을 공포의 감정과 절박한 신음 '소리'를 우리 몸속에서 다시 울려 나도록 강제한다.

이 시편의 마지막 대목을 장식하는 '소리의 메아리를 따라가다가/ 허공에서 길을 잃어/ 깨어나면 생각나지 않는 꿈을 찾으러 간다' 역시 저 죽음의 불안과 공포가 누구도 알 수 없는 '꿈'처럼 부지불식간에 도래한다는 사실을 무섭게 일러준다. 이는 시인의 개인적이고 실존적인 체험을 넘어서, 그 언젠가 모든 사람이 겪어낼 수밖에 없을 것이라는 보편적인 울림을 이끌어온다. 살아있는 그 모든 이들에게 생명의 끄트머리, 제 육신이 사라지는 순간이란 지속적인 의식으로 붙들어둘 수 없는, 지극히 두렵고 절박한 것일 수밖에 없기 때문이다. 그러한 것이기에, 우리들 모두는 알 수 없는 어떤 미지의 세계인 무의식의 영역으로 그것을 밀어낼 수밖에 없기 때문이리라.

그러나 프로이트의 '억압된 것의 회귀'(die Rückkehr der Verdrängten)라는 말처럼, 죽음의 불안과 공포란 어쩌면 살아있음 그 자체에 이미 주름져 있는 필요충분조건 같은 것인지도 모른다. 「허공의 메아리」 마지막 대목에 나타난 '깨어나면 생각나지 않는 꿈을 뒤쫓아 간다'라는 이미지 역시 인간의 유한한 일생 한가운데 들어박힌 죽음이라는 실재를 휘감는다. 아니, 제 아무리 가리고 덮어도 회귀할 수밖에 없을 저 '억압된 것'으로서의 죽음의 불안과 공포를 '꿈'이라는 매개물에 빗대어 현시한다. 우리 모두는 제 생의 한복판에 자리한 죽음의 그림자로 인해 유한성의 비애감과 더불어 공空과 무명無明에 사로잡힐 수밖에 없기 때문이다.

묵은 책을 세 트럭 넘게 끌어낸 방
흰 벽면에
서가 자국만 남겨져 있는
책 한 권 없는 공간
거세고 오랜 항해의 닻을 내린 섬

파도처럼 검은 바람 일렁이는
일몰의 창밖에는
예나 다름이 없이 세상의 이야기가
바다처럼 펼쳐지고 있는데
간직할 수 없는 비밀은 여기 무인도에 묻는다

생을 작별하는 마지막 순간도

분명 이렇게 오리라

책의 벽에 갇혀 사는 줄도 모르고

삼십년 넘게 빛바랜

서가 자국만 남기고 말았다니

그러나 이제 물러서야 할 때

방문에 붙은 플라스틱 명찰을 떼어 낸다

일몰의 유리창은 바람에 덜컹거리고

흰 벽면에 깜박거리는

시가지의 불빛은 파도를 몰고 와

쌓였던 세월의 그림자를 지우고

닻을 내린 동그마한 섬에 책 없이 홀로 앉아

바라보는 창밖의 어둠은 차가웠다

－「플라스틱 명찰」 전문

「플라스틱 명찰」 끄트머리에 새겨진 '창밖의 어둠', 그 쓸쓸하고 묵중한 심사는 대학교수라는 안정적인 제도적 삶의 테두리와 상징적 질서 한가운데 이미 들어박혀 있는 가공할 실재, 공空과 무명無明의 깨달음에서 온다. 이 깨달음의 순간은 또한 '책의 벽에 갇혀 사는 줄도 모르고/ 삼십년 넘게 빛바랜/ 서가 자국만 남기고 말았다니'라는 참된 성찰의 외침소리, 하이데거가 말한 '본래적 실존'(eigentliche Existenz)의 이미지로 음각된다. 나아가 우리가 추구하는 세속적 욕망 역시 공과 무명에 지나지 않는다는 사실을 '생을 작별하는 마지막 순간도/ 분명 이렇게 오리라'는 비감어린 구절로 읊조린다. 이는 '죽음을 향한 존재를 앞질러 달려가 보는 결단성'을 통해 삶의 진정한 의미와 가치, '본래적 실존'을 궁극적 차원에서 되찾아오려는 시인의 실존론적 기투에서 기원한다.(마르틴 하이데거, 『존재와 시간』, 까치, 1998)

이 시편에 도드라진 윤곽선으로 드러나 있듯 시인은 불가에서 전하는 가명假名, 곧 우리들의 일상적 직무와 정체성이란 그저 헛되고 헛된 이름에 지나지 않을뿐더러 그 것의 확고부동한 실체란 그 어디에도 존재하지 않는다는 깨달음을 '방문에 붙은 플라스틱 명찰을 떼어 낸다'는 실존적 특이점의 사건을 통해 다시 체득했던 것이 분명하다. 따라서 「허공의 메아리」나 「플라스틱 명찰」을 비롯한 이 시집의 몇몇 작품들에선 죽음을 미리 선취한 사람들에게서만 솟아나는 '본래적 실존'의 목소리가 묵직한 배음처럼 울려난다고 말해도 좋으리라.

가령 '공 밖에도 공은 없고 공 속에도/ 공이 없으니/ 이승도 저승도 공이 없어'(「공놀이하지 않는 달마」), '허공의 등짝은 누가/ 때리고 가나// 죽비에 멍든 살 까맣게/

멍들어가도// 하늘 한번 쳐다볼/ 겨를도 없이// 꼬리 잘려 뒤뚱거리는/ 올챙이 인간'(「소낙비」), '거미 다리가 길게 보이는 날이 있다// 만취 다음날// 더부룩이 자란 수염 얼굴 내밀고// 술집 골목 거미줄에 걸려 흔들리는 다리'(「술집 골목」) 같은 이미지들을 오랫동안 천천히 들여다보라.

이들은 모두 하나같이 죽음이라는 절대적 타자성의 시간 앞에다 시인의 생애 전체를 맞세움으로써, 삶의 궁극적인 의미와 가치를 되묻도록 강제하는 하이데거의 '존재물음'(Seinsfrage)을 불러오고 있다는 사실을 명징하게 예시한다. 따라서 '닻을 내린 동그마한 섬에 책 없이 홀로 앉아/ 바라보는 창밖의 어둠은 차가웠다'라는 「플라스틱 명찰」의 맨 뒷자락의 이미지는 쓸쓸한 적요감이 맴돌지만 처연한 비애감을 풍겨내지는 않는 것 같다. '허공의 등짝은 누가/ 때리고 가나'(「소낙비」) 같은 형상들이 배경에서 슬며시 암시하듯, 시인은 공과 무명을 제 삶의 일부처럼 살아내고 있는 것이 자명하기 때문이다.

그러나 시인이 품은 공과 무명의 깨달음은 우리 현대인들의 삶의 터전인 도시와 아케이드를 벗어나 저 머나먼 절해고도의 사원이나 고립무원의 숲길을 향하지 않는다. 도리어 시인은 우리가 살아가는 현대세계의 심장부에서 공과 무명을 바탕으로 삼은 '정신주의'의 이념적 축도인 '극서정시'를 유포시키려는 노력을 한시도 멈추지 않는 듯 보인다. 따라서 『제왕나비』 곳곳에서 자연 사물이나 풍경들과 더불어 나날의 세속적인 삶의 모양새와 이미지들이 나타나게 되는 것 역시 필수불가결한 일일 수밖에 없다. 나아가 신성한 것과 세속적인 것, 전통적인 것과 현대적인 것, 종교적인 것과 문학적인 것이 동시에 길항하면서 독특한 여백의 질감과 침묵의 미학을 빚어내는 까닭 역시 이와 같다.

'연못가에서 보낸/ 얼굴 없는 봄 편지 하늘가에/ 울고 있나 보다// 먹장구름 뚫고 번개가 지금/ 급히 전보 쳐서/ 길 잃은 아이를 찾고 있다'(「얼굴 없는 봄 편지」 부분)

'하늘에서 떨어진 알루미늄 헬멧에/ 반사하는 빛이/ 흩뿌려진 심장을 찾아내고// 광속 타이어가 그리던 무지개가/ 부스러져 가라앉는/ 아스팔트에 흥건히 굳어가는 정적'(「알루미늄 헬멧」 부분)

「얼굴 없는 봄 편지」와 「알루미늄 헬멧」은 상이한 이미지와 문제설정을 품고 있는 듯하지만, 그 뒷면의 보이지 않는 여백의 공간에 삶의 신성한 비의를 되찾아야만 한다는 동일한 주제의식과 가치지향성을 거느리고 있는 것처럼 보인다. 특히 '전보' '알루미늄 헬멧' '광속 타이어'

'아스팔트' 같은 시어들에는 현대 과학기술문명의 발전과 그 세속적 삶의 형태가 떠안을 수밖에 없을 존재론적 한계와 무의미를 다시금 성찰해 보려는 마음결의 깊이가 주름져 있다. 어쩌면 시인은 나날의 삶을 꼴 짓는 현대과학의 기술적 진보가 우리들을 풍요롭고 윤택하게 만드는 것이 아니라, 도리어 자연과 생명 현상 자체에 내재된 신성한 비의들을 훼손하고 파괴할 뿐이라는 문명 비판적 사유를 취하고 있는지도 모른다.

또한 그것이 우리 현대인들의 삶을 그야말로 존재론적 충만감이나 참된 교양의 세계로 이끌어 올리는 것이 아니라, 도리어 '한 발 더 가까이 다가서며/ 가물거리는 촛불을/ 앞발로 잡아채 보았다가'(「촛불을 붙잡은 고양이」) 마치 신기루와도 같은 헛된 욕망에 사로잡히거나, '사람들 사이로 부는 허전한 바람 타고/ 낙엽처럼 무작정 날아올라/ 정처 없이 흘러 다니는 외로운 저물녘'(「떠 있는 사랑 노래」)을 살아갈 수밖에 없는 '고독에 빠진 홀로임'(「신성한 등불」)의 존재들을 양산할 뿐이라는 시각을 견지하고 있는 것처럼 보인다. 아니, 현대적 실존의 저 탐닉과 소외와 고독을 넘어설 수 있는 유력한 마음의 씨앗을 '시'에서 찾아내려는 경지에 도달한 것이 분명하다.

그리하여, '먹구름 속에 불의 꽃봉오릴 터트린/ 천둥번개의 피는/ 노을 깊이 물들이는 저 하늘의 시'(「번개를 삼킨 제라늄」), 또는 '가보지 않은 섬, 부르는 사람 없어/ 입술에서 맴돌다 문득/ 가슴을 울리는 한 소절의 노래가 시야(「떠 있는 사랑 노래」) 같은 이미지들의 뒷면에서 뿜어져 나오는 이념의 광휘를 느릿느릿한 걸음새로 느껴보라. 이들은 우리 현대인들이 체험하는 '고독'과 소외라는 정신적 질병을 치유할 수 있는 가장 유력한 촉매가 바로 '시'일 것이라는 확신을 담지하고 있기 때문이다.

극서정의 감각적 비의

'극서정시'가 2000년대 이후 한국시의 주류적 흐름을 장악하고 있는 '미래파'에 대한 대안적 극복을 겨냥하고 있다는 사실을 다시 들여다보자. 이른바 '미래파 시인'으로 호명되었던 우리 시대 젊은 시인들 대다수가 한국사회의 상징적 질서와 훈육 체계를 일그러뜨리는 자리에서 움트는 제 실존의 고통과 몸부림을 토로하려 했다는 점을 상기해보면, 그들의 과격한 형식실험들 가운데 상당수는 '서정'으로 명명되어온 장르론적 테두리를 크게 벗어나지 않았다고 보는 것이 적확할 것이다. 또한 한국시의 다양성과 풍요로움을 위하여 '미래파'가 기여한 바를 적시해보면, '서정'이란 말이 무의식적으로 승인하고 있는 천편일률적 감수성과 진부한 잠언들과 상투적 감각들을 해체−재구축 했을 뿐만 아니라, '서정'이라는 현대시의 한 범주를 훨씬 폭넓은 차원으로 개방할 수 있는 방법론적 모색과 형식실 험을 감행했던 지점에서 찾아낼 수 있을 것이다.

따라서 '미래파'가 서정의 범주를 극대화하려는 일종의 장르론적 모험이었다는 평가를 수긍할 수 있다면, '극서정 시'는 '미래파'의 서정의 극대화 전략에서 나타났던 미학적 피로감과 난맥상을 오히려 서정의 극소화 전략을 통해 다 시 극복해내려는 문학사적 전환의 기획에서 산출되었다는 것을 그리 어렵지 않게 간파할 수 있을 듯하다.

> 먹구름 속에 붉은 꽃봉오릴 터트린
> 천둥번개의 피는
> 노을 깊게 물들이는 저 하늘의 계시
> 　　　　　　　　　　　　−「번개를 삼킨 제라늄」 부분

> 거룩하게, 아니

> 이 끓는 누더기 옷 걸친

> 거지처럼

성자처럼, 아니

버려진 성자처럼

―「시인」 전문

우주를 유영하는 점박이 별들의 악보

세상살이 보듬어 푸른 달밤의 아리아

언덕 위의 바람에 날리는 풀씨 한 점

태양이 묘지에서 부르는 대지의 노래

―「극서정시」 전문

인용 시편들은 시 또는 시쓰기의 존재론적 가치와 이념을 오브제의 중핵으로 삼는 메타시의 면모를 품는다. 또한 최소량의 언어와 강렬한 침묵으로 응집된 제유법의 이미지들로 짜인 '극서정시'의 형세를 드러낸다. 물론 「번개를 삼킨 제라늄」은 네 매듭이 연들로 이루어져 있지만, 그 마디마디를 빚고 벼리는 조각술의 원리는 제유법에 기초한 '극서정시'의 방법론을 준용하는 자리에서 온다. 또한 '시'라는 언어―문자의 결합체 또는 현대예술의 한 갈래가 개

개인들의 파편화된 실존이나 폐쇄된 내면성에서 오지 않는다는 것을 웅변한다. 나아가 저 개인적 실존과 내면성을 가능케 하는 것 역시 모든 생명현상의 자궁, 곧 '천둥번개의 피'로 표상되는 우주적 생명력이라고 역설한다.

그리하여, 「번개를 삼킨 제라늄」은 '정신주의'로 표상되는 최동호의 시적 이념을 응집시킨 축도로 기능할뿐더러 그 감각적 비의들을 곳곳에 흩뿌려 놓는다. 가령 '납작 지붕에 찾아오던 번개를 삼킨/ 제라늄 꽃봉오리는/ 바람 앞의 촛불 같이 살던 사람들의 시'라는 마지막 4연의 이미지들 역시, "제라늄 꽃봉오리"로 비유되는 시의 정수와 본질이 '번개'로 상징되는 우주적 생명력과 더불어, '바람 앞의 촛불 같이 살던 사람'으로 빗대어진 비참하고 위태로운 인간 실존의 상황을 동시에 가로지르고 있음을 암시한다. 따라서 이 시편은 우주 전체를 뒤덮고 있는 원초적 생명력과 더불어 위태로운 상황에 처한 '사람'의 실존을 빠짐없이 관통할 수 있는 지극히 보편적인 생명 현상이야말로 '시'의 존재론적 위상에 해당된다고 역설하고 있는 셈이다.

「시인」 역시 광대무변한 상상력을 기반으로 삼지 않고서는 태어날 수 없는 작품일 것이다. 또한 신성과 세속의 대위법적 구조를 예술적 도안으로 삼고 있는 듯 보인다. 특히 후반부에서 단 세 마디로 압축된 '거지처럼// 성자처럼, 아니// 버려진 성자처럼' 같은 이미지들은 인간이 도달

할 수 있는 가장 비천한 것과 가장 거룩한 것을 동시에
집약시킨 것으로 파악된다. 또한 맨 앞머리와 끄트머리에
서 펼쳐진 '거룩하게'나 '성자처럼' 같은 거룩한 신성성의
표상과 더불어, 그 한가운데 놓인 '이 끓는 누더기 옷 걸
친'과 '거지처럼'이라는 비천한 세속성의 메타포는 서로를
맞겨누면서 팽팽한 긴장감을 불러일으킨다. 이는 결국 「시
인」이 섬세하게 조각되고 배열된 대위법적 이미지들로 빚
어졌다는 것을 뜻한다.

그러나 저 대위법적 이미지들의 뒷면에선 신성한 것과
세속적인 것, 거룩한 것과 비천한 것, 영광스런 것과 비참
한 것을 다함께 가로지르면서, 그 대립적 의미소를 해체하
고 융화시키는 보이지 않는 시적 이념의 광휘가 쏟아져
내린다. 이렇듯 인간이 품을 수 있는 무수한 모순의 상황
들을 회통시킬 수 있는 유일한 방법은 '우주'에 깃든 원초
적 생명력과 더불어 우리가 살아가는 현대 생활의 세속적
삶의 형태를 동시에 감싸 안는 것일 수밖에 없으리라. 따
라서 이 작품의 표제어인 '시인'은 세계 삼라만상의 그 모
든 대립적 의미소를 하나로 융화시킬 수 있는 그 모든 생
명력의 담지체가 바로 '시인'이라고 역설하고 있는 셈이다.
또한 그것을 '시인'의 이념적 위상으로 정립하려는 원대한
기획을 품고 있는 것이 자명해 보인다.

「극서정시」의 맨 앞머리부터 휘황한 빛으로 솟아오르

는 '우주를 유영하는 점박이 별들의 악보'라는 우주적 아 날로지의 편린들 역시 시인 최동호가 추구하는 '극서정시'의 감각적 비의에서 온다. '극서정시'란 결국 그것이 대상으로 삼는 것이 신성한 것이든 세속적인 것이든, 또는 거룩한 것이든 비천한 것이든, 그 어떤 구분이나 차별 없이 인간의 생명적 진실이 마주할 수 있는 그 모든 것들을 빠짐없이 감수하려는 것이기 때문이다. 달리 말해, '세상살이 보듬어' 안으려는 지극히 넓은 '푸른 달밤의 아리아'이기 때문이리라. 아니, '언덕 위의 바람에 날리는 풀씨 한 점'으로 형상화된 지극히 미미한 사물들의 움직임마저도 끌어안으려는 것, 그것이 바로 '극서정시'의 감각적 비의일 수밖에 없기에.

창백한 백납 얼굴로

뼈 마른 폐허의 가슴을 토하고

미친놈 소리

한 번도

들어보지 못한 사람은

진짜 시인이 아니다

−「백납 얼굴」 전문

산발한 머리칼 날리며 그가 사라지고 한참 동안 아무 응답 없던 교회당 안에는 이상한 정적이 흐르다가 난데없이 종소리가 밖으로 울려 퍼졌다. 그 소리는 마치 하나님이 버려진 탕아를 구원하셨다는 응답처럼 들려와 성난 목소리로 외치던 아이들은 입을 다물지 못하고 이상한 눈길로 하늘 높이 솟은 십자가를 우러러볼 뿐이었다.

-「버려진 탕아」 부분

「백납 얼굴」에서 직설화법으로 토로된 것처럼, '진짜 시인'이란 '창백한 백납 얼굴'과 '뼈 마른 폐허의 가슴'을 품은 채 '미친놈 소리'를 반드시 '한 번' 쯤은 들어야만 하는 존재인지도 모른다. 아니, 저 지극한 모순 상태를 넉넉히 살아내는 자리에서만 태어날 수 있는 특이한 존재일 것이 틀림없다. 또한 「버려진 탕아」의 맨 뒷자락에 매달린 '그 소리는 마치 하나님이 버려진 탕아를 구원하셨다는 응답처럼 들려와 성난 목소리로 외치던 아이들은 입을 다물지 못하고 이상한 눈길로 하늘 높이 솟은 십자가를 우러러볼 뿐이었다.' 같은 이미지들은, 과학기술문명의 첨단화로 치달아가는 현대세계의 실존적 상황에서 이미 '버려진 탕아'의 삶을 살아내고 있을지도 모를, 시인들의 존재론적 위상과 윤리학적 소명을 알레고리 문법으로 소묘한 것이리라. '산발한 머리칼 날리며'라는 시어가 선명하게 표상하듯, 광인에 가까운 행색을 지닌 채 '버려진 탕아'처럼 살아갈 수밖에 없을 우리 시인들이 결단코 포기할 수 없는 것, 그것이야말로 '하늘 높이 솟은 십자가'에 주름진 신성성의 비의일 수밖에 없기에.

파도 위로 호랑무늬 깃을 펼치며
대지를 움켜쥔
나비가 날고 있다

태양 너머 저 멀고 먼 산언덕에서
작은 들꽃 무리들이
피었다
지면서 비바람
헤치고 찾아 올 나비를 기다리고 있을 때

사막의 하늘 높이 날아오른 나비에게
태고의 영웅들이 놀던
산들의 장엄한 메아리는
산봉우리에 잠든 바람의 혼을 일깨워 주고

구름 뒤의 달은 나뭇잎에 매달려
쪽잠 자며 고치에서
부활하는 황금빛 호랑무늬 깃을 지켜보고 있다

―「제왕나비」 전문

제왕나비(Monarch Butterfly)는 아메리카 대륙에 광범위하게 서식하는 실제 생명체이다. 이 작고 여린 생명체 수백만 마리가 늦가을 무렵 떼를 지어, 캐나다 동부와 미국 중서부에서 장장 5,000킬로미터를 날아 멕시코의 미초아칸주의 마을들로 이동하는 대자연의 경이로운 향연을 가슴에 품어보라. 그리고 저 미초아칸주의 인디언들이 제왕나비의 귀향을 죽은 가족들의 영혼이 찾아오는 것으로 믿고, 해마다 봄이 오면 '죽은 자들의 밤'이란 축제를 벌이는 그 장면을 눈앞에다 생생하게 펼쳐보라. 만일 이 장면이 손에 잡힐 듯 실감나게 그려질 수 있다면, 당신은 제왕나비가 도래시키는 대자연의 숭고한 리듬에 이미 동참하고 있는 중일 테다. 나아가 이 시편의 앞머리로 솟아오른 '파도 위로 호랑무늬 깃을 펼치며/ 대지를 움켜쥔/ 나비가 날고 있다'라는 역동적인 무늬들의 날갯짓에 깃든 마음결의 심연을 어렴풋이나마 잡아챌 수 있을 것이다.

언뜻 보아, 저 날갯짓은 그 모든 제약과 난관과 장애를 훌쩍 뛰어넘는 대자연의 역능을 나타내는 듯하지만, 그 뒷면에는 고독과 무관심과 소외로 표상되는 현대인들의 정신적 고통과 폐허의 감각을 넘어서게 하는 메시아적 존재로서의 '시인'을 대망하는 사색의 진폭이 깊숙이 잠겨 있다. 따라서 「버려진 탕아」에서 역설적인 알레고리 문법으로 형상화된 '산발한 머리칼'과 '종소리', '버려진 탕아'와 '하늘 높이 솟은 십자가'라는 대립적 형상들은 「제왕나비」에서 나타난 '비바람 헤치고 찾아올 나비', 곧 위대한 '시인'의 탄생을 점지하는 단자론적 이미지(monadological image)일 수밖에 없다. 제왕나비가 제 고치의 작은 구멍을 빠져나올 때 사력을 다한 고통을 겪어내지 않고서는 아름다운 날개를 팔랑이며 대륙을 훨훨 날아다니는 온전한 생명체로 태어날 수 없는 것처럼, 그야말로 '거룩한' 존재로서의 '시인'이란 '버려진 탕아'라는 비천한 세속성의 삶 한가운데 '하늘 높이 솟은 십자가'라는 거룩한 신성성의 빛을 곧추세우려는 자일 수밖에 없기 때문이다. 아니, 「버려진 탕아」에 나타난 '구원'의 형상이 어렴풋이 불러오듯, 참된 '시인'이란 세속적 삶의 부단한 갱신과 예술적 승화 과정을 충실하게 실천함으로써, 우리 모두를 '거룩하게' 만드는 대속代贖의 주체일 수밖에 없기 때문이리라.

그리하여, 최동호가 대망하는 저 '제왕나비'란 우리 현대인들의 궁핍하고 상처받은 '영혼'을 참된 어울림의 빛, 화엄세계로 다시 태어나게 하는 위대한 '시인'의 탄생 순간을 일컫는 것 아니겠는가? 「제왕나비」의 맨 아랫자락에서 솟아오르는 '고치에서 부활하는 황금빛 호랑무늬 깃'이 펼쳐내는 저 어슴푸레한 '구원'의 영기靈氣처럼.

초판 2쇄 후기

초판을 간행하고 난 다음 다시 천천히 시편들을 돌이켜 읽어 보았다.

미진한 부분들이 산견되어 「제왕나비」를 비롯한 일부 시편에 수정을 가하여 제2쇄를 간행하게 되었다.

독자 여러 분들에게 죄송한 마음이다.

2019년 11월 25일

최동호 삼가 씀